Vive le vent d'hiver!

Helaine Becker

Illustrations de
Werner Zimmermann

Texte français d'Isabelle Montagnier

Éditions
SCHOLASTIC

Catalogage avant publication de Bibliothèque et Archives Canada

Becker, Helaine, 1961-
[Dashing through the snow. Français]
Vive le vent d'hiver! / Helaine Becker ; illustrations de Werner
Zimmermann ; texte français d'Isabelle Montagnier.

Traduction de : Dashing through the snow.
ISBN 978-1-4431-2454-6 (relié)

1. Noël--Poésie pour la jeunesse. 2. Canada--Poésie pour la
jeunesse. I. Zimmermann, H. Werner (Heinz Werner), 1951-, illustrateur
II. Montagnier, Isabelle, traducteur III. Titre. IV. Titre : Dashing through
the snow. Français

PS8553.E295532D3814 2014   jC811'.6   C2014-903314-1

Édition publiée par les Éditions Scholastic, 604, rue King Ouest,
Toronto (Ontario) M5V 1E1 CANADA.

6 5 4 3 2 1   Imprimé au Canada 114   14 15 16 17 18

Pour Karl.
٭ H.B.

À ma belle petite Flora,
de ton Bumpa qui t'adore.
٭ W.Z.

Dans la froidure d'hiver,
en motoneige rouillée,
nous filons comme l'éclair
à travers les boisés.

2

Le vent fouette nos oreilles,
notre nez est gelé.
C'est la nuit de Noël
alors on doit se dépêcher!

Vive le vent, vive le vent,
vive le vent d'hiver!
Trois amis vont joyeusement
dans la belle nuit polaire, oh!

6

Vive le temps, vive le temps,
vive le temps d'hiver!
Trois amis vont joyeusement
dans la belle nuit polaire.

Sous l'aurore boréale
arrive le père Noël.
Un spectacle sans égal
illumine le ciel!

9

Le traîneau est rempli
de cadeaux merveilleux.
Et voilà le yéti
qui va faire des heureux!

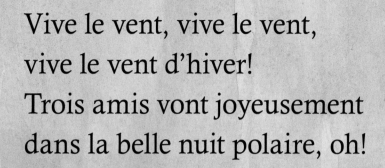

Vive le vent, vive le vent,
vive le vent d'hiver!
Trois amis vont joyeusement
dans la belle nuit polaire, oh!

Vive le temps, vive le temps,
vive le temps d'hiver!
Trois amis vont joyeusement
dans la belle nuit polaire.

D'innombrables cadeaux
soudain dans la nuit
tombent du traîneau,
et tout le monde s'enfuit!

Alors comment savoir
à qui ils sont destinés?
Toi et moi allons devoir
sans doute les échanger!

Le huard est déçu,
il voulait un poisson.
Alors il ne se gêne plus
et prend celui du raton.

18

C'est au tour du harfang.
Il propose ses mitaines.
Le caribou les prend.
En voilà une aubaine!

Bébé loutre gourmand
aime le gâteau aux fruits.
Avec leurs instruments,
les ours blancs sont ravis.

Puis le grand bœuf musqué
reçoit des bottes d'hiver,
et le loup va compter
contre ses adversaires!

Vive le vent, vive le vent,
vive le vent d'hiver!
Trois amis vont joyeusement
dans la belle nuit polaire, oh!

Vive le temps, vive le temps,
vive le temps d'hiver!
Trois amis vont joyeusement
dans la belle nuit polaire.

Le castor chante très fort.
Les macareux s'y mettent.
L'orignal fait le ténor.
Cette nuit, c'est la fête!

Comme je suis impatient,
car je suis le dernier.
Quel sera mon présent?

Un sapin décoré!

C'est sensationnel
d'être ensemble ici.
Joyeux, joyeux Noël
et bonne année aussi!